Illustrations : Claudio Cernuschi et Maria De Filippo
© 1998 PML Editions pour l'édition française, Paris
© 1997 EdiCART Legnano
Tous droits réservés
Traduction : Lucie Mollof
Photocomposition : Nord Compo, Villeneuve d'Ascq
Imprimé en Italie
ISBN 2-7434-0887-1

Classiques Junior

LE TOUR DU MONDE EN 80 JOURS

 PML
EDITIONS

En l'année 1872, au numéro 7 de Saville-row, vivait Phileas Fogg, un homme de quarante ans environ, grand et de fort belle allure. On savait peu de choses sur lui si ce n'est qu'il était membre du Reform-Club, un des clubs les plus prestigieux et exclusifs de Londres. Il était riche mais personne n'aurait pu dire comment il avait fait fortune. On ne l'avait jamais vu ni ému ni même troublé. Jamais pressé, toujours ponctuel, il avait l'habitude de choisir la rue la plus courte, économisant ainsi ses pas et ses mouvements.

Phileas Fogg n'avait pas quitté Londres depuis bien des années ; il se bornait à parcourir chaque jour, et à la même heure, le chemin séparant sa maison du siège de son club. C'est là qu'il passait la journée : il lisait les journaux, déjeunait et jouait au whist. Ce jeu silencieux convenait parfaitement au tempérament réservé et flegmatique de Phileas Fogg.

Le matin du 2 octobre de cette année-là, il entendit frapper à la porte du salon. James Foster, le domestique qui venait d'être licencié, apparut. Monsieur Fogg n'avait ni femme ni enfants et vivait dans sa maison de Saville-row, servi par un seul domestique. Étant une personne pétrie d'habitudes, Phileas Fogg exigeait de ses serviteurs une ponctualité et une régularité extraordinaires : pour cette raison, la vie de domestique chez Fogg était plutôt difficile.

— Le nouveau domestique, dit James.

Un jeune homme d'environ trente ans entra et salua.

— Vous êtes français et vous vous nommez John ? demanda Fogg.

— Jean, n'en déplaise à Monsieur, répondit le garçon. Jean Passepartout, surnom qui m'est resté à cause de mon aptitude à me tirer d'affaire. Je crois être un honnête garçon mais j'ai fait plusieurs métiers. Voilà cinq ans que j'ai quitté la France et que je travaille comme valet de chambre en Angleterre. Quand j'ai su que l'homme le plus précis et le plus sédentaire du Royaume-Uni cherchait un domestique, je me suis présenté, en espérant vivre tranquille et oublier jusqu'à mon surnom.

— Votre surnom me plaît et j'ai de bonnes informations sur vous. Vous êtes engagé. À compter de maintenant, 11 h 29 du matin, vous êtes à mon service.

Phileas Fogg se leva, prit son chapeau et sortit de chez lui.

Il déjeuna au Reform-Club et passa l'après-midi dans le salon du cercle, absorbé dans la lecture des journaux. Vers 7 heures, d'autres joueurs acharnés de whist, habituels compagnons de Fogg, arrivèrent au club : l'ingénieur Andrew Stuart, les banquiers John Sullivan et Samuel Fallentin, le brasseur Thomas Flanagan, Gauthier Ralph, un des administrateurs de la Banque d'Angleterre.

— Eh bien, Ralph, demanda Thomas Flanagan, où en est cette histoire de vol ?

— Nous mettrons bientôt la main sur le voleur, répondit Gauthier Ralph. La direction de la police de Londres a envoyé des agents dans tous les principaux ports d'Europe et d'Amérique.

— Vous avez donc le signalement du voleur ? demanda Andrew Stuart.

— Il n'a vraiment pas l'air d'un voleur, répondit Ralph.

Le fait divers, rapporté par tous les journaux du Royaume-Uni, s'était produit trois jours avant, le 29 septembre. Une somme rondelette de 55 000 livres avait été soustraite à la Banque d'Angleterre.

— Le *Morning Chronicle* le décrit comme un gentleman bien habillé, avec de bonnes manières, une allure distinguée, continua Ralph. Il a pris une liasse de billets de banque sur le comptoir du caissier principal pendant que celui-ci était occupé à enregistrer une somme. Il n'a aucune possibilité de nous échapper : il n'y a plus un seul pays où il pourrait se réfugier. Et une récompense a été offerte pour sa capture.

— Ce voleur est un homme très habile, rétorqua Andrew Stuart, et les circonstances sont en sa faveur. Après tout, la terre est vaste.

—·Elle l'était autrefois, dit Phileas Fogg à voix basse.

— Comment ça, autrefois ! La terre serait-elle devenue plus petite ? s'étonna Andrew.

— Non, évidemment, dit Gauthier Ralph, mais de nos jours on peut la parcourir dix fois plus vite qu'il y a cent ans. Cela rendra les recherches plus rapides.

— Vous devez admettre, monsieur Ralph, reprit Andrew qui n'était pas convaincu, que vous avez trouvé une manière plaisante de dire que la Terre a rapetissé. Ainsi, parce qu'on en fait aujourd'hui le tour en trois mois…

— En quatre-vingts jours seulement, dit Phileas Fogg.

— Exact, surtout depuis qu'un nouveau tronçon de chemin de fer a été inauguré en Inde, ajouta John Sullivan. Voici le calcul du *Morning Chronicle* :

De Londres à Suez en train et paquebot .... *7 jours*

De Suez à Bombay en paquebot .... *13 jours*

De Bombay à Calcutta en train .... *3 jours*

De Calcutta à Hong Kong en paquebot .... *13 jours*

De Hong Kong à Yokohama en paquebot .... *6 jours*

De Yokohama à San Francisco en paquebot .... *22 jours*

De San Francisco à New York en train .... *7 jours*

De New York à Londres en paquebot et en train   9 jours

Total : 80 jours

— Quatre-vingts jours ! s'exclama Andrew. Mais sans compter les naufrages, les déraillements, les vents contraires.

— Tout compris, rétorqua Phileas Fogg.

— Théoriquement, c'est possible, mais en pratique…

— Partons ensemble et vous verrez, dit Fogg.

— Que Dieu m'en préserve ! s'exclama Andrew et il ajouta : mais je serais prêt à parier 4 000 livres qu'un tel voyage, dans ces conditions, est impossible.

— Tout à fait possible, répondit Phileas Fogg.

— Eh bien, faites-le donc ! lança Andrew.

— D'accord, je veux bien, répondit Fogg. Je parie 20 000 livres que je ferai le tour de la Terre en quatre-vingts jours. Vous acceptez ?

— Nous acceptons, répondirent les autres.

— Bien, dit Fogg, le train pour Douvres part à 8 h 45, je le prendrai ce soir même. Étant donné que nous sommes aujourd'hui le 2 octobre, je devrai être de retour à Londres, dans ce salon même du Reform-Club, le samedi 21 décembre à 8 h 45 du soir. Dans le cas contraire, les 20 000 livres déposées actuellement sur mon compte auprès de la Banque des frères Baring seront à vous. Voici un chèque de cette somme.

Peu après, Phileas Fogg quitta le club.

De retour chez lui, il appela Passepartout :

— Nous n'avons pas une seconde à perdre, nous partons dans dix minutes pour Douvres.

— Monsieur doit faire un voyage ? demanda le domestique.

— Oui, nous allons faire le tour du monde.

— Le tour du monde ! murmura Passepartout stupéfait.

— En quatre-vingts jours, précisa Phileas Fogg.

— Mais les bagages ?

— Pas de valises. Juste un sac de cuir avec deux chemises en laine et trois paires de chaussettes. Même chose pour vous. Nous achèterons tout en chemin. Dépêchez-vous !

À 8 heures, monsieur Fogg était prêt. Il glissa une grosse liasse de billets dans son sac de voyage et, après avoir fermé la porte de chez lui, il monta en voiture avec Passepartout et se dirigea rapidement vers la gare de Charing Cross.

Dans la salle principale de la gare, il trouva ses amis du Reform-Club.

— Messieurs, dit-il, je pars avec mon serviteur. Les visas que je ferai apposer sur mon passeport vous permettront, à mon retour, de contrôler mon itinéraire. À bientôt.

Quelques minutes plus tard, monsieur Fogg et Passepartout étaient assis dans le même compartiment. À 8 h 45, le train partit.

Le départ de monsieur Fogg ne passa pas inaperçu. Au début, la nouvelle du pari se répandit parmi les membres du Reform-Club qui en furent passablement troublés, puis elle passa aux journaux et de là au public de tout le Royaume-Uni. Bien vite, l'opinion publique se divisa : certains prirent le parti de Fogg mais la majorité pensait que l'entreprise était totalement irréalisable.

Une nouvelle incroyable et inattendue parvint sept jours après le départ de Phileas Fogg. Le directeur de la police de Londres reçut une dépêche en provenance de Suez, disant :

Rowan, directeur de la police
Administration générale — Scotland Yard
Je file voleur de banque, Phileas Fogg. Envoyez immédiatement mandat d'arrestation à Bombay (Indes anglaises)
Fix, détective

Comme on peut l'imaginer, l'effet produit par cette dépêche fut immédiat : l'aventureux gentleman disparut pour faire place au voleur. Au fond, le signalement donné pendant l'enquête pouvait parfaitement s'adapter à monsieur Fogg, dont l'existence, plutôt solitaire et mystérieuse, et le départ à l'improviste furent considérés comme des indices supplémentaires de sa culpabilité.

Mais comment une telle chose avait-elle pu arriver ?

Le mercredi 9 octobre, un agent de police nommé Fix se promenait sur le môle du port de Suez en attendant l'arrivée du paquebot *Mongolie* en provenance de Brindisi et faisant route sur Bombay.

— Le signalement du voleur correspond tout à fait à celui d'un gentleman, pensait-il. Les physionomies honnêtes cachent parfois les criminels les plus endurcis.

Onze heures sonnaient quand le *Mongolie* jeta l'ancre dans la rade.

De nombreux passagers débarquèrent et Fix les examina scrupuleusement un à un. L'un d'eux s'approcha du policier et exhiba un passeport.

— Je voudrais faire apposer le visa britannique sur ce passeport. Pourriez-vous me dire où se trouvent les bureaux du consulat ?

Fix prit le passeport et lut le signalement : identique à celui de la personne recherchée. Il regarda l'homme et dit :

— Ce passeport n'est pas à vous.

— Non, il appartient à mon maître qui est resté à bord. Pouvez-vous me dire où sont ces bureaux, je vous prie ?

— Là, au coin de la place, répondit l'inspecteur.

Quand Passepartout sortit du consulat, Fix s'informa :

— Votre patron doit être bien pressé s'il n'est même pas descendu pour se promener.

— Oui, répondit Passepartout. Tellement pressé que nous sommes partis sans valises, juste avec un sac ! D'ailleurs, je dois acheter des chemises et des chaussettes. Pouvez-vous m'indiquer un magasin près d'ici ?

— Certainement, répondit Fix, de plus en plus sûr d'avoir à faire au voleur.

— Mais où va votre patron ? ajouta-t-il.

— Il fait le tour du monde ! C'est ce qu'il m'a dit, tout du moins. À cause d'un pari. Mais je n'y crois pas, c'est trop absurde. Nous sommes partis de Londres avec un bon pécule qui s'amenuise peu à peu. Figurez-vous que mon maître a promis une récompense au mécanicien si le bateau arrivait en avance à Bombay !

L'effet de ces mots sur l'esprit déjà excité de Fix fut celui d'une bombe : le voleur de Londres était tombé entre ses mains et il ne le laisserait pas échapper.

Après avoir quitté Passepartout, l'inspecteur se dirigea rapidement vers les bureaux du consulat britannique.

— Monsieur le consul, dit Fix, je suis sûr que notre homme est à bord du *Mongolie*. (Et il lui raconta l'affaire du passeport.) J'ai l'intention de le suivre et de me faire envoyer un mandat d'arrestation à Bombay : en territoire anglais, je pourrai facilement l'arrêter.

Les théories de Fix ne convainquaient pas le consul anglais : en fait, il considérait Phileas Fogg comme un parfait gentleman. Malgré cela, il ne put empêcher Fix d'expédier le télégramme que nous connaissons déjà.

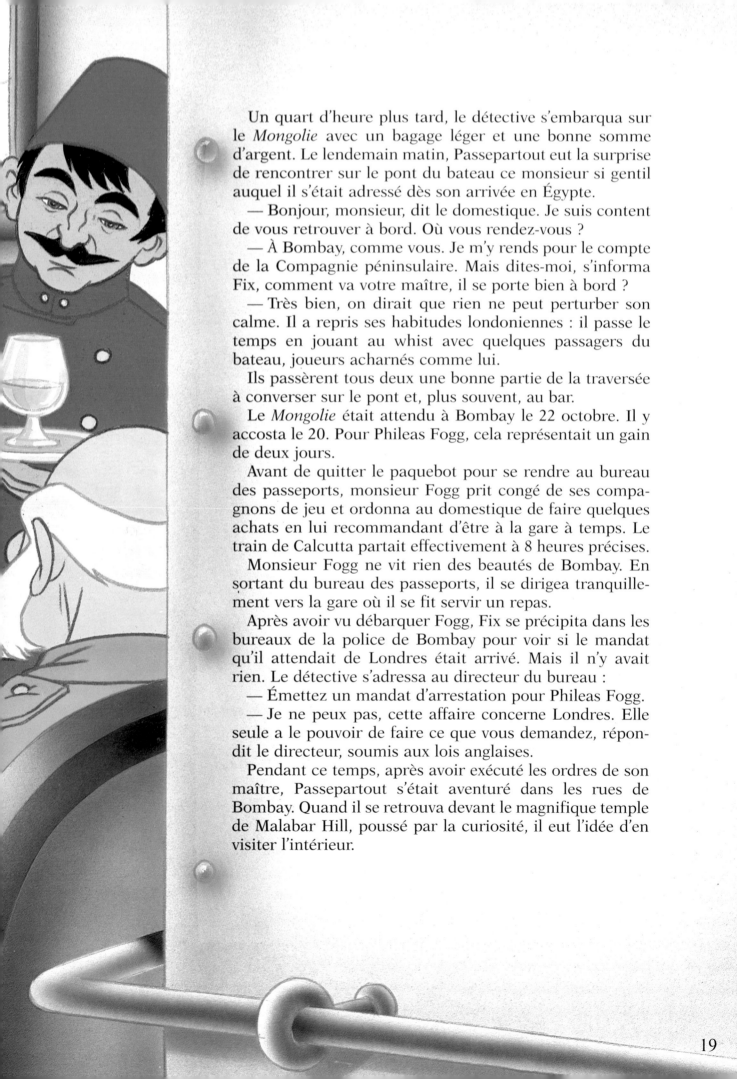

Un quart d'heure plus tard, le détective s'embarqua sur le *Mongolie* avec un bagage léger et une bonne somme d'argent. Le lendemain matin, Passepartout eut la surprise de rencontrer sur le pont du bateau ce monsieur si gentil auquel il s'était adressé dès son arrivée en Égypte.

— Bonjour, monsieur, dit le domestique. Je suis content de vous retrouver à bord. Où vous rendez-vous ?

— À Bombay, comme vous. Je m'y rends pour le compte de la Compagnie péninsulaire. Mais dites-moi, s'informa Fix, comment va votre maître, il se porte bien à bord ?

— Très bien, on dirait que rien ne peut perturber son calme. Il a repris ses habitudes londoniennes : il passe le temps en jouant au whist avec quelques passagers du bateau, joueurs acharnés comme lui.

Ils passèrent tous deux une bonne partie de la traversée à converser sur le pont et, plus souvent, au bar.

Le *Mongolie* était attendu à Bombay le 22 octobre. Il y accosta le 20. Pour Phileas Fogg, cela représentait un gain de deux jours.

Avant de quitter le paquebot pour se rendre au bureau des passeports, monsieur Fogg prit congé de ses compagnons de jeu et ordonna au domestique de faire quelques achats en lui recommandant d'être à la gare à temps. Le train de Calcutta partait effectivement à 8 heures précises.

Monsieur Fogg ne vit rien des beautés de Bombay. En sortant du bureau des passeports, il se dirigea tranquillement vers la gare où il se fit servir un repas.

Après avoir vu débarquer Fogg, Fix se précipita dans les bureaux de la police de Bombay pour voir si le mandat qu'il attendait de Londres était arrivé. Mais il n'y avait rien. Le détective s'adressa au directeur du bureau :

— Émettez un mandat d'arrestation pour Phileas Fogg.

— Je ne peux pas, cette affaire concerne Londres. Elle seule a le pouvoir de faire ce que vous demandez, répondit le directeur, soumis aux lois anglaises.

Pendant ce temps, après avoir exécuté les ordres de son maître, Passepartout s'était aventuré dans les rues de Bombay. Quand il se retrouva devant le magnifique temple de Malabar Hill, poussé par la curiosité, il eut l'idée d'en visiter l'intérieur.

Arrivé à la gare, Fogg ne vit pas son domestique. Il le retrouva sur le quai du départ, essoufflé, pieds nus, couvert de bleus et sans les achats.

— Que vous est-il arrivé ? demanda-t-il.

— J'ai eu la mauvaise idée d'entrer dans un temple et j'ai été agressé par des prêtres : après m'avoir arraché mes chaussures, ils ont commencé à me battre sauvagement et c'est uniquement grâce à mon agilité que j'ai réussi à échapper à ces fauves déchaînés. Monsieur Fogg, c'est un miracle que je sois en vie ! répondit le domestique.

— J'espère que vous serez plus attentif dorénavant, dit froidement Fogg en montant dans le train.

Fix, qui avait rejoint Fogg à la gare et se trouvait sur le même quai à quelques mètres de distance, avait écouté l'histoire du domestique.

— Je les tiens, se dit-il, nos lois punissent sévèrement ceux qui violent les lieux religieux. Quand ils arriveront à Calcutta, je les ferai arrêter.

Le train partit à l'heure. Phileas Fogg retrouva dans son compartiment un des compagnons de jeu du *Mongolie* : le brigadier général, Sir Francis Cromarty, qui rejoignait ses troupes cantonnées près de Bénarès.

Ils traversèrent de hautes chaînes de montagnes et des forêts luxuriantes mais le plus beau des paysages ne semblait avoir aucun effet sur Phileas Fogg. Le 22 octobre, à 8 heures du matin, après un jour et deux nuits de voyage, le train s'arrêta au milieu d'une vaste clairière, près d'un petit village.

Le conducteur passa dans les wagons en criant :

— Tout le monde descend !

— Que voulez-vous dire ? demanda Sir Francis Cromarty.

— Vous ne savez pas que le train s'arrête ici ? La voie ferrée entre ce village et Allahabad n'est pas terminée.

— Mais les journaux ont annoncé que la ligne était achevée !

— Que voulez-vous, mon général, les journaux se sont trompés.

— Et vous délivrez des billets de Bombay à Calcutta ! s'exclama le général indigné.

— Évidemment, répondit le conducteur, les voyageurs savent qu'ils doivent se faire transporter jusqu'à Allahabad.

Monsieur Fogg intervint alors calmement :

— Si vous y consentez, mon général, cherchons ensemble un moyen d'atteindre cette ville.

Mais les trois compagnons ne trouvèrent rien : les autres voyageurs savaient que la voie restait inachevée et s'étaient appropriés tous les véhicules du village.

— Nous irons à pied, déclara Phileas Fogg.

Mais Passepartout, affolé à l'idée des deux jours de marche, s'approcha de son maître et dit :

— Je crois avoir trouvé un moyen de transport. Au village, j'ai rencontré un homme qui possède un éléphant. Il est disposé à le vendre mais en demande 2000 livres, une somme énorme !

— Eh bien, cet homme aura ce qu'il demande, dit Phileas Fogg avec insouciance.

Une fois l'affaire conclue, Fogg acheta une paire de babouches pour Passepartout et engagea un garçon du village comme guide. Le guide couvrit le dos de l'animal d'une toile rêche et arrima sur les flancs de la bête deux paniers très commodes. Sir Francis et Fogg y prirent place pendant que Passepartout s'installait derrière le guide.

Le jeune hindou, pour abréger le trajet, quitta le tracé de la voie ferrée et s'enfonça dans la forêt. Bien vite, le paysage prit un aspect sauvage : à la forêt se substitua une vaste plaine hérissée de petits arbres et parsemée de blocs de granit.

Les voyageurs passèrent la nuit dans un bungalow abandonné et reprirent la route le lendemain matin en s'enfonçant dans une épaisse forêt. Quelques milles plus tard, l'éléphant donna des signes d'inquiétude et s'arrêta brusquement.

On entendait au loin une espèce de concert de voix humaines et d'instruments de cuivre. L'hindou descendit à terre, attacha l'éléphant à un arbre et s'éloigna dans la forêt.

Il revint peu après.

— Une procession de brahmanes vient par ici. Vite, cachons-nous parmi les arbres, ils ne doivent pas nous voir.

Quelques prêtres avançaient au milieu d'une foule entonnant un chant funèbre. Derrière eux, un chariot tiré par deux zébus transportait une statue représentant une femme à l'apparence monstrueuse, avec un collier de têtes de mort autour du cou.

— La déesse Kali, murmura le général, la déesse de l'amour et de la mort.

À la queue de la procession, des brahmanes traînaient une très belle jeune fille qui tenait à peine debout ; à côté, un groupe de gardes armés portaient un palanquin sur lequel reposait le cadavre d'un vieillard revêtu des splendides atours d'un prince indien. Quand la procession eut disparu, Cromarty dit au guide :

— C'est une *sati*, un sacrifice humain. La jeune femme sera brûlée demain matin avec le cadavre de son mari.

— Et le gouvernement anglais permet une telle barbarie ? demanda Fogg.

— Malheureusement, ces territoires sont sous la domination de princes indépendants et notre gouvernement ne peut pas intervenir.

L'histoire de cette femme est connue par ici : la jeune Aouda est fille de riches commerçants et a été éduquée en Angleterre. Après la mort de ses parents, elle a été donnée en mariage contre sa volonté au vieux prince.

— Comment se fait-il, observa le général, que cette infortunée n'ait opposé aucune résistance ?

— Ils l'ont droguée avec de la fumée de chanvre et d'opium, répondit le guide.

— Et où la conduisent-ils maintenant ? s'enquit Fogg.

— À la pagode de Pillaji où elle passera la nuit en attendant l'heure du sacrifice, dit le guide.

— Si nous sauvions cette femme ? proposa Phileas Fogg.

— Vous voulez la sauver ? s'étonna le général.

— Nous avons douze heures d'avance, nous pouvons certainement les consacrer à cette entreprise, conclut Fogg.

Ils prirent le chemin de la pagode de Pillaji qui se dressait, non loin de là, dans une vaste clairière. À la tombée de la nuit, seuls les gardes du prince veillaient avec leurs sabres dégainés.

— Nous ne pourrons jamais sauver cette femme, il faut partir d'ici, dit le général.

— Attendons encore, répliqua Fogg, le moment propice pour agir pourrait se présenter.

Mais, à l'aube, les tambours réveillèrent la foule et la jeune femme sortit du temple, escortée des brahmanes.

Peu après, le lugubre cortège se mit en marche.

Phileas Fogg, le guide et le général le suivirent et s'arrêtèrent près du fleuve, à moins de cinquante pas du bûcher sur lequel était étendu le corps du prince.

— Où est votre domestique ? demanda Cromarty.

— Je ne sais pas, répondit Fogg, il était là il y a un instant.

À ce moment précis, la victime fut allongée à côté du cadavre de son époux et un prêtre approcha une torche imprégnée d'huile qui prit immédiatement feu.

Soudain, un hurlement de terreur s'éleva dans la foule.

— Mon Dieu, le mort s'est levé ! s'exclama le général. Il a pris la femme dans ses bras, poursuivit-il bouleversé, et il vient vers nous.

Quand le ressuscité fut près de Cromarty, il le reconnut.

— C'est Passepartout ! cria-t-il.

— Filons ! dit le domestique.

Profitant de la confusion générale, ils rejoignirent aisément l'éléphant et s'enfuirent.

Vers 10 heures du matin, Fogg et les siens arrivèrent à la gare d'Allahabad.

— Voudriez-vous nous expliquer à présent comment vous avez fait pour sauver la jeune hindoue ? demanda le général à Passepartout.

— Rien d'extraordinaire, monsieur, ironisa le domestique. J'ai profité de l'obscurité pour m'allonger près du cadavre du prince. Quand les flammes ont commencé à s'élever, j'ai sauté sur mes pieds, j'ai saisi Miss Aouda et je me suis sauvé.

— Bien, commenta Fogg, impassible.

Et il serra la main de son domestique.

Dans le train, la jeune femme revint complètement à elle. Elle fut très surprise de se retrouver au milieu de personnes qu'elle ne connaissait pas. Cromarty lui raconta ce qui s'était passé et elle eut un frisson de terreur.

— Si Miss Aouda reste en Inde, ajouta le général, elle tombera de nouveau entre les mains de ses bourreaux.

— Si elle le désire, elle peut venir avec nous jusqu'à Hong Kong, dit Fogg.

— Je vous en saurais vraiment gré, dit Aouda. À Hong Kong, j'ai un oncle très riche qui sera heureux de m'héberger.

Après avoir traversé la plaine du Gange, le train fit une halte à Bénarès et atteignit Calcutta à 7 heures le matin suivant. À la gare, un policier s'approcha de Fogg et dit :

— Monsieur Phileas Fogg ?

— C'est moi.

— Veuillez me suivre avec votre domestique.

— Cette jeune femme peut-elle nous accompagner ?

— Certainement.

Ils furent conduits tous les trois au tribunal, devant le juge. Dans la salle d'audience, Fix attendait, impatient.

— Greffier, dit le juge, faites entrer les plaignants.

Et les brahmanes venus de Bombay avec Fix entrèrent dans la salle.

— Ce sont les canailles qui voulaient brûler Miss Aouda, dit Passepartout.

— Monsieur Phileas Fogg et son domestique sont accusés d'avoir violé un lieu dédié à la religion brahmanique, dit l'assistant du juge.

— Vous avouez ? demanda le juge.

— J'avoue et j'attends que ces prêtres avouent le crime qu'ils étaient sur le point de commettre à la pagode de Pillaji.

— Que dites-vous, répliqua le juge, le délit a été commis dans la pagode de Malabar Hill à Bombay.

— Et voici le corps du délit, ajouta le greffier en déposant une paire de chaussures sur le banc.

— Mes chaussures ! s'exclama Passepartout.

— Vous avouez maintenant ? demanda le juge.

— Oui, répondit froidement Phileas Fogg.

— Je vous condamne à quinze jours de prison.

— J'offre une caution, dit Fogg en se levant.

— C'est votre droit, dit le juge, il vous en coûtera 1000 livres.

Phileas Fogg paya la caution, obtenant ainsi sa liberté et celle de Passepartout.

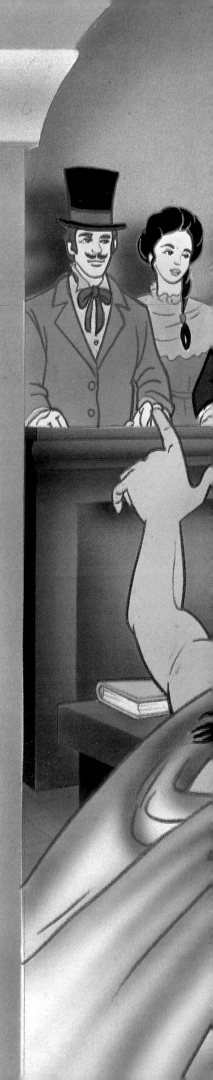

Fix était déçu.

— Il s'en est tiré cette fois encore, pensa le détective. Je dois absolument l'arrêter à Hong Kong, la dernière terre anglaise qu'il rencontrera sur sa route.

Monsieur Fogg, Passepartout, Miss Aouda et Fix s'embarquèrent sur le paquebot *Rangoon* qui, à midi précis, appareilla pour Hong Kong.

Quand Passepartout vit Fix à bord, il fut pris de soupçons.

Ce n'est pas un agent de la Compagnie péninsulaire, pensa-t-il, je suis prêt à parier que c'est un espion envoyé sur les talons de monsieur Fogg par les membres du club pour contrôler si le voyage s'accomplit dans les règles.

Après quelques jours de navigation tranquille, le temps changea ; la mer démontée et un vent très violent retardèrent d'un jour l'arrivée du paquebot à Hong Kong.

Quand le pilote monta à bord pour diriger le navire à travers les bancs de sable jusqu'au port, Phileas Fogg lui demanda s'il savait quand partait le bateau pour Yokohama.

— Demain avec la marée du matin, répondit le pilote, il s'agit du *Carnatic*.

— Il ne devait pas partir hier ?

— Si, mais ils ont dû réparer une des chaudières.

Après avoir débarqué, Fogg et les siens descendirent dans le meilleur hôtel de la ville. Le gentleman se mit immédiatement à la recherche de l'oncle de Miss Aouda.

Quand il revint à l'hôtel, il se tourna vers la jeune femme.

— Je vous informe, dit-il sans préambule, que votre oncle a déménagé en Hollande.

— Que dois-je faire, monsieur Fogg ? demanda-t-elle.

— C'est très simple, vous viendrez avec nous en Europe.

— Mais je ne veux pas abuser...

— Votre présence ne dérange en aucune manière mon programme. J'enverrai mon domestique réserver trois cabines sur le *Carnatic* et je vous procurerai des vêtements européens.

Aouda aurait voulu le remercier mais elle ne dit rien, intimidée par l'attitude froide et détachée de Phileas Fogg.

Passepartout se rendit au môle d'embarquement du *Carnatic* où il rencontra Fix qui faisait les cent pas nerveusement.

Les choses vont mal pour ces messieurs du Reform-Club, pensa le domestique, puis il demanda à Fix :

— Eh bien, monsieur, êtes-vous décidé à venir avec nous en Amérique ?

— Oui, répondit Fix les dents serrées.

— Allons-y alors, dit Passepartout en riant, venez réserver votre cabine.

À l'agence de transport maritime, l'employé les informa que les réparations du *Carnatic* étaient terminées et que le paquebot partirait le soir même à 8 heures.

— Bien, dit Passepartout, j'avertis mon maître.

À ce moment, Fix décida de tout révéler à Passepartout. C'était le seul moyen de retenir Fogg à Hong Kong en attendant le mandat d'arrestation.

— Nous avons tout notre temps, dit-il à Passepartout, venez boire quelque chose avec moi.

Le détective conduisit le domestique dans une taverne de fumeurs d'opium où il ne cessa de remplir le verre de Passepartout, qui buvait volontiers.

— Vous avez entendu parler du vol à la Banque d'Angleterre ? dit-il.

— Oui.

— Je vais vous avouer une chose : je suis agent de police. Le voleur est votre patron. Il faut que vous m'aidiez à le retenir à Hong Kong, nous partagerons la prime de 2000 livres offerte pour sa capture.

— Vous mentez ! s'exclama Passepartout. Mon maître est l'homme le plus honnête du monde et je ne le trahirai jamais !

— Alors vous refusez de m'aider ?

— Je refuse.

Mais Fix lui glissa dans la main une des pipes remplies d'opium qui se trouvaient sur la table. Passepartout, qui était déjà ivre, la porta à ses lèvres et, après en avoir inhalé quelques bouffées, s'écroula endormi sur la table.

Le lendemain matin, après avoir cherché en vain Passepartout, Fogg et Miss Aouda se rendirent au môle pour embarquer. Ils apprirent que le *Carnatic* était parti la veille au soir. À ce moment, un marin s'approcha d'eux.

— Monsieur cherche un bateau ? demanda-t-il.

— Oui. J'ai raté le *Carnatic* et je dois être le 14 novembre à Yokohama pour prendre le paquebot qui fait route vers San Francisco. Cent livres par jour si j'arrive à temps.

— Ma goélette n'y arrivera pas mais le *General Grant* fait escale à Yokohama. Il part de Shanghai : en quatre jours, nous pouvons y arriver si... nous levons l'ancre dans une heure !

— Affaire conclue, monsieur...

— John Bunsby, propriétaire de la *Tankadère*, pour vous servir.

Pendant que Fogg s'apprêtait à monter sur la goélette, Fix, qui n'avait jamais cessé de le suivre, se présenta à lui.

— Moi aussi, je dois me rendre à Yokohama. J'ai entendu que vous alliez à Shanghai pour embarquer sur le *General Grant*. Je vous serais reconnaissant si vous me permettiez de venir avec vous.

— Bien, dit Phileas Fogg avec une froide politesse.

Le soir du quatrième jour, sur le pont du bateau, Fogg et Bunsby virent au loin une forme noire surmontée d'un panache de fumée.

— C'est le *General Grant* qui sort du port !

— Vite, dit Fogg, envoyez les signaux de danger, chargez le canon !

La détonation du petit canon de proue, qui servait à avertir en cas de brouillard, résonna dans l'air.

— Ils nous ont vu , cria Bunsby, ils viennent vers nous !

Ainsi, Phileas Fogg, Miss Aouda et Fix réussirent à embarquer sur le *General Grant*. Au port de Yokohama, ils retrouvèrent Passepartout, qui, heureusement, était monté sur le *Carnatic*.

— Je vous revois donc, dit Fogg.

— Monsieur, je voudrais vous expliquer...

— Je ne veux rien savoir, rétorqua Phileas Fogg plus froidement encore que d'habitude.

Mieux vaut ne pas dire à Fogg ce que m'a révélé Fix, se dit le domestique. Nous découvrirons en Angleterre si mon maître est une fripouille ou un galant homme. Fix, qui avait finalement reçu le mandat d'arrêt, valide uniquement sur le territoire anglais, poursuivit son voyage sur le *General Grant*, bien décidé à suivre Fogg partout.

Onze jours plus tard, le 3 décembre, le bateau accosta à San Francisco. À 6 heures du soir, les voyageurs montèrent dans le train de New York. Le voyage de San Francisco à New York durait normalement sept jours. Fogg passa son temps à jouer au whist avec Fix et avec le colonel Proctor, de l'armée des États-Unis. Passepartout dormait et Miss Aouda admirait le paysage, fascinée. Le quatrième jour, alors que la traversée des montagnes Rocheuses était presque achevée, le train s'arrêta.

Quelques minutes passèrent et un chef de train apparut.

— Le pont sur le fleuve à un mille d'ici menace de s'écrouler sous le poids du convoi. Pour atteindre la prochaine gare, nous devons descendre du train et continuer à pied. Il nous faudra au moins six heures.

— Six heures ! s'exclama Passepartout.

Sous le mécontentement général et les protestations, le mécanicien proposa :

— Messieurs, il y a une autre possibilité. En lançant le train à l'allure la plus rapide, nous avons une chance de passer. Mais il faut que vous soyez tous d'accord.

— Ces Américains sont fous ! pensa Passepartout.

Plusieurs voyageurs trouvèrent la chose fascinante et tous finirent par accepter. La locomotive siffla et le mécanicien accéléra à une allure d'enfer. Le train passa comme une flèche, en volant presque, d'une rive à l'autre. Tout de suite après, on entendit un grondement terrible. Passepartout se pencha par la fenêtre et regarda en arrière.

— Il s'est écroulé ! Le pont s'est écroulé ! s'exclama le domestique.

— Ce mécanicien a vraiment eu une excellente idée, commenta Fogg, qui n'avait rien perdu de son calme.

Le voyage continuait pour le mieux quand résonnèrent soudain des hurlements sauvages et des coups de feu et qu'on entendit des cris de terreur à l'intérieur du convoi.

— C'est une attaque des Sioux ! s'exclama le colonel Proctor. Les Indiens s'élancent sur les marchepieds, poursuivit-il, ils montent dans le train !

Fogg et ses compagnons de route se barricadèrent dans la voiture, tirant avec leurs revolvers à travers les fenêtres cassées. Un Sioux apparut à la fenêtre et fit feu.

— Il m'a eu ! cria un des passagers en s'écroulant.

Fogg visa et tira : l'Indien tomba en hurlant du train en marche.

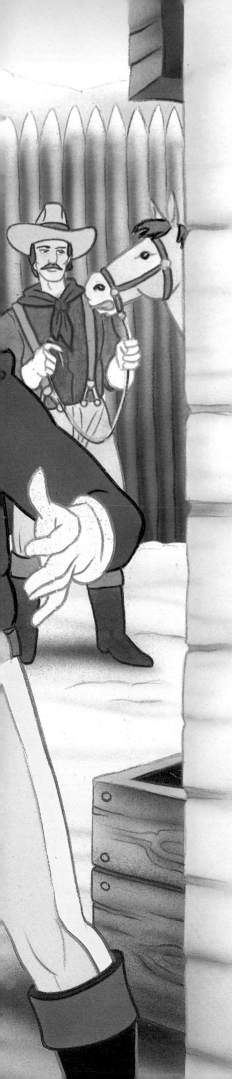

Le chef du train, qui se battait aux côtés de Fogg, dit :

— Nous ne résisterons plus très longtemps, les Indiens sont trop nombreux et bien armés. Notre unique espoir de fuir est d'arrêter le train dans les cinq minutes.

— Vous avez raison, renchérit Proctor, la gare de Fort Kearney est une garnison militaire et elle est seulement à deux milles d'ici. Si nous réussissons à nous y arrêter, les soldats viendront à notre aide.

— Je m'en occupe, cria Passepartout.

Le domestique glissa sous la voiture et, en s'accrochant sous les wagons avec une surprenante agilité, il atteignit la tête du train. Il détacha les chaînes de sécurité reliant la locomotive au convoi qui, séparé de sa traction, réduisit sa vitesse et s'arrêta à moins de cent pas de la gare.

Quelques minutes plus tard, on entendit le son d'une trompette.

— Les soldats ! cria Proctor. Enfin des renforts !

Mais les Indiens avaient disparu avant que le train n'ait complètement stoppé.

Quand les voyageurs se comptèrent sur le quai de la gare, ils s'aperçurent que trois d'entre eux manquaient à l'appel : Passepartout en faisait partie.

— Ils ont été capturés par les Sioux, dit le commandant.

— Je ne peux laisser mon serviteur prisonnier entre leurs mains, je le retrouverai ! s'écria Fogg. Monsieur, demanda-t-il alors au commandant, avez-vous l'intention de poursuivre les Indiens ?

— Je ne peux pas abandonner le fort, répondit-il.

— J'irai seul alors, conclut froidement Fogg.

— Non, dit le commandant. Je vous donnerai trente hommes.

— Merci, commandant, répartit Fogg.

— Je veux venir avec vous, intervint Fix.

— Je ne peux vous en empêcher mais si vous voulez me rendre un service, restez auprès de Miss Aouda, lui répondit Fogg.

Fix regarda intensément Fogg et comprit la situation.

Quelque minutes plus tard, Fogg et sa petite escorte quittèrent Fort Kearney sous la neige qui commençait à tomber.

Aouda et Fix passèrent le reste de la journée et toute la nuit dans une salle de la gare. Un certain Mudge s'y trouvait aussi. Il était propriétaire d'un traîneau et offrait ses services aux voyageurs durant les mois d'hiver.

Le matin, vers 7 heures, ils virent approcher une petite troupe dans la neige. C'était Phileas Fogg avec Passepartout et les deux autres voyageurs, arrachés aux Sioux après un bref combat. Fogg regarda autour de lui et dit :

— Le train, où est le train ?

— Il est parti et le prochain ne passera pas avant ce soir. Mais cet homme propose son traîneau, dit Fix en indiquant Mudge.

— Bien, nous irons avec vous, décida Fogg.

Une fois à Omaha, après un voyage relativement calme à travers la plaine enneigée, Fogg et les siens montèrent à bord du train de New York. Ils traversèrent l'immensité américaine à grande vitesse et arrivèrent à New York le 11 décembre, à 11 h 15 du soir. Le paquebot *China*, à destination de Liverpool, était parti depuis quarante-cinq minutes !

Le lendemain matin, Phileas Fogg sortit de l'hôtel où il avait passé la nuit et se rendit au port pour essayer de trouver un bateau qui le conduirait en Europe.

Il vit un navire de commerce à hélice qui se préparait à partir et demanda à parler au capitaine.

Andrew Speedy, de Cardiff, un homme aux yeux bovins et aux cheveux roux, était le commandant le plus irascible et hargneux de toute la marine britannique.

— Beau bateau que le vôtre, où vous rendez-vous ? demanda Fogg.

— À Bordeaux, nous partons dans une heure.

— Je peux vous demander quel est votre chargement ?

— Des pierres, dit Speedy qui commençait à s'impatienter.

— Des pierres ? s'étonna Fogg. Vous avez des passagers ?

— Non, pas de passagers, c'est un genre de marchandise que je n'aime pas : encombrante et surtout bavarde.

— Si je vous proposais de changer d'itinéraire et de nous transporter, moi et trois autres personnes, à Liverpool ?

— Non ! Je ne changerai de route à aucun prix.

— Emmenez-nous à Bordeaux alors, je vous offre 2000 dollars par personne.

Le capitaine se gratta furieusement la tête et finit par accepter l'offre de Fogg malgré son aversion pour les passagers : pour 8000 dollars, il ne s'agissait plus de personnes mais d'une marchandise précieuse.

— Je pars à 9 heures, dit-il, soyez ponctuels, je n'attendrai pas.

— À 9 heures, nous serons à bord, répondit calmement Phileas Fogg.

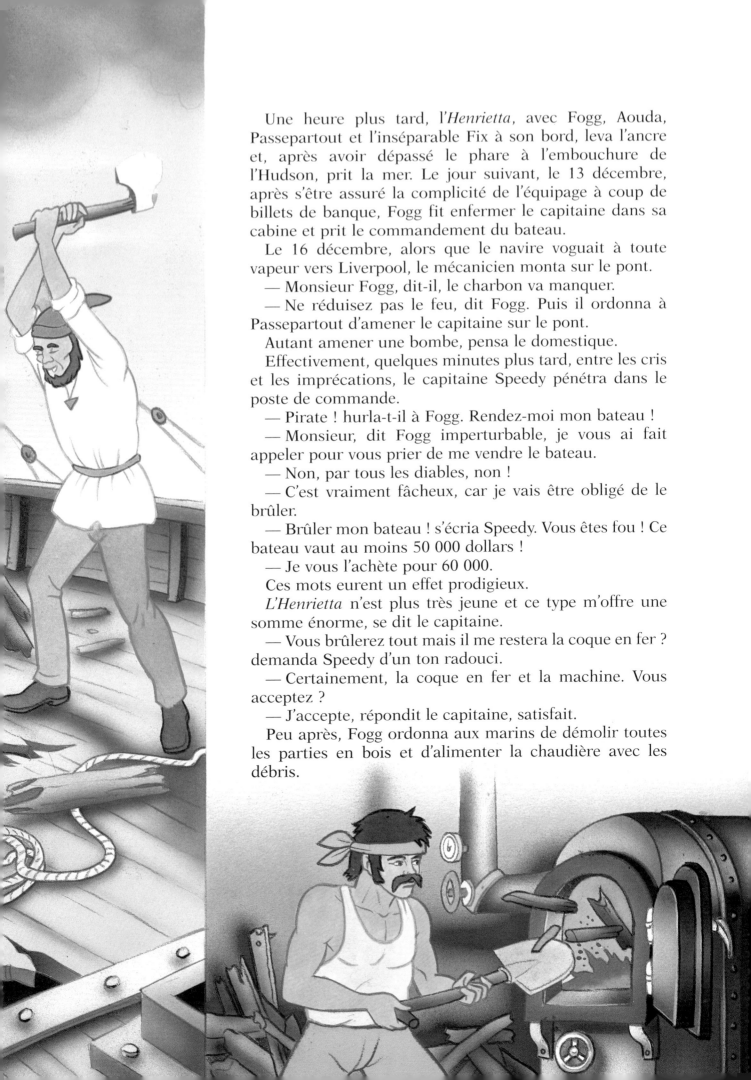

Une heure plus tard, l'*Henrietta*, avec Fogg, Aouda, Passepartout et l'inséparable Fix à son bord, leva l'ancre et, après avoir dépassé le phare à l'embouchure de l'Hudson, prit la mer. Le jour suivant, le 13 décembre, après s'être assuré la complicité de l'équipage à coup de billets de banque, Fogg fit enfermer le capitaine dans sa cabine et prit le commandement du bateau.

Le 16 décembre, alors que le navire voguait à toute vapeur vers Liverpool, le mécanicien monta sur le pont.

— Monsieur Fogg, dit-il, le charbon va manquer.

— Ne réduisez pas le feu, dit Fogg. Puis il ordonna à Passepartout d'amener le capitaine sur le pont.

Autant amener une bombe, pensa le domestique.

Effectivement, quelques minutes plus tard, entre les cris et les imprécations, le capitaine Speedy pénétra dans le poste de commande.

— Pirate ! hurla-t-il à Fogg. Rendez-moi mon bateau !

— Monsieur, dit Fogg imperturbable, je vous ai fait appeler pour vous prier de me vendre le bateau.

— Non, par tous les diables, non !

— C'est vraiment fâcheux, car je vais être obligé de le brûler.

— Brûler mon bateau ! s'écria Speedy. Vous êtes fou ! Ce bateau vaut au moins 50 000 dollars !

— Je vous l'achète pour 60 000.

Ces mots eurent un effet prodigieux.

L'Henrietta n'est plus très jeune et ce type m'offre une somme énorme, se dit le capitaine.

— Vous brûlerez tout mais il me restera la coque en fer ? demanda Speedy d'un ton radouci.

— Certainement, la coque en fer et la machine. Vous acceptez ?

— J'accepte, répondit le capitaine, satisfait.

Peu après, Fogg ordonna aux marins de démolir toutes les parties en bois et d'alimenter la chaudière avec les débris.

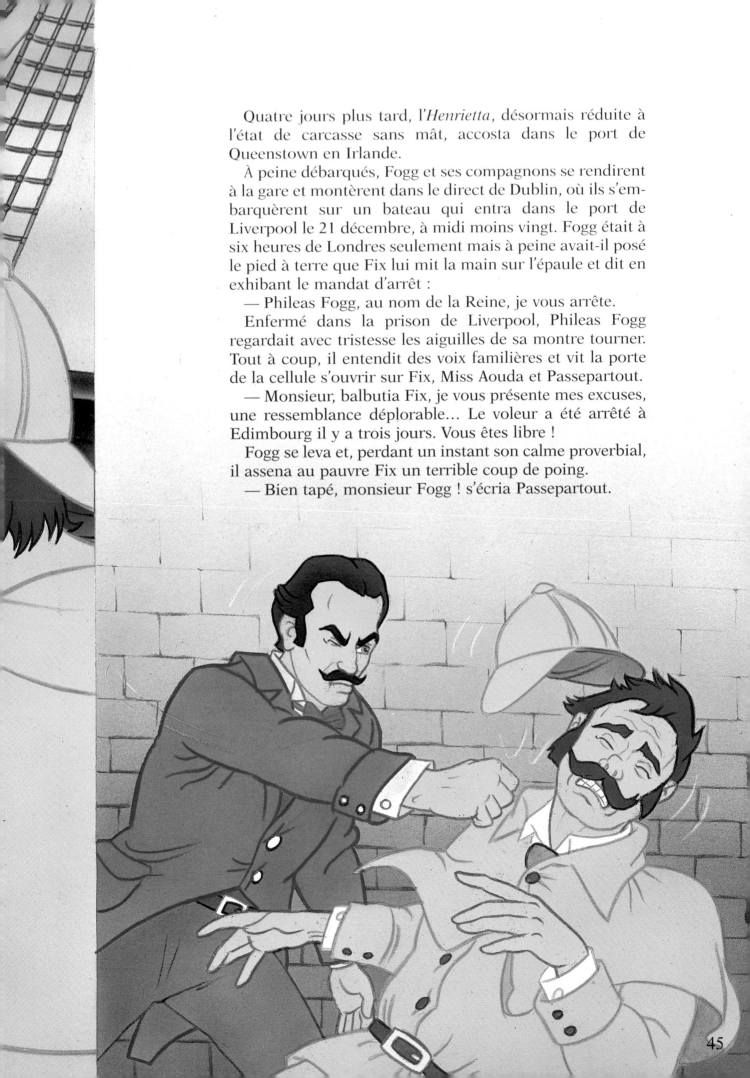

Quatre jours plus tard, l'*Henrietta*, désormais réduite à l'état de carcasse sans mât, accosta dans le port de Queenstown en Irlande.

À peine débarqués, Fogg et ses compagnons se rendirent à la gare et montèrent dans le direct de Dublin, où ils s'embarquèrent sur un bateau qui entra dans le port de Liverpool le 21 décembre, à midi moins vingt. Fogg était à six heures de Londres seulement mais à peine avait-il posé le pied à terre que Fix lui mit la main sur l'épaule et dit en exhibant le mandat d'arrêt :

— Phileas Fogg, au nom de la Reine, je vous arrête.

Enfermé dans la prison de Liverpool, Phileas Fogg regardait avec tristesse les aiguilles de sa montre tourner. Tout à coup, il entendit des voix familières et vit la porte de la cellule s'ouvrir sur Fix, Miss Aouda et Passepartout.

— Monsieur, balbutia Fix, je vous présente mes excuses, une ressemblance déplorable... Le voleur a été arrêté à Edimbourg il y a trois jours. Vous êtes libre !

Fogg se leva et, perdant un instant son calme proverbial, il assena au pauvre Fix un terrible coup de poing.

— Bien tapé, monsieur Fogg ! s'écria Passepartout.

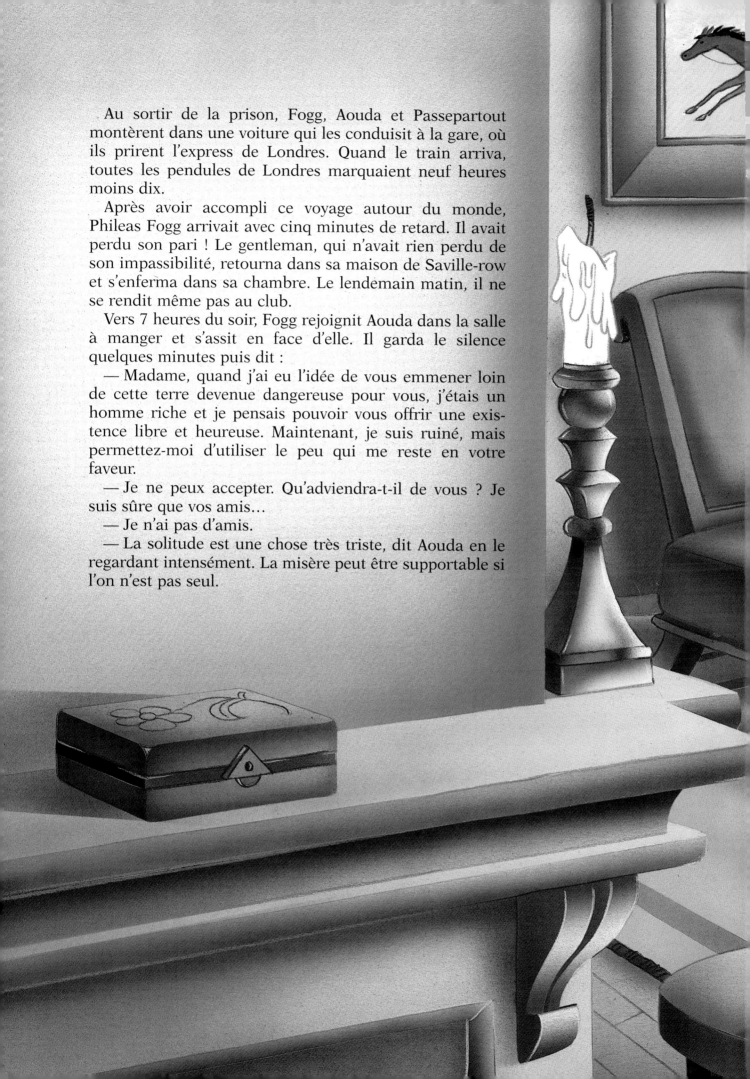

Au sortir de la prison, Fogg, Aouda et Passepartout montèrent dans une voiture qui les conduisit à la gare, où ils prirent l'express de Londres. Quand le train arriva, toutes les pendules de Londres marquaient neuf heures moins dix.

Après avoir accompli ce voyage autour du monde, Phileas Fogg arrivait avec cinq minutes de retard. Il avait perdu son pari ! Le gentleman, qui n'avait rien perdu de son impassibilité, retourna dans sa maison de Saville-row et s'enferma dans sa chambre. Le lendemain matin, il ne se rendit même pas au club.

Vers 7 heures du soir, Fogg rejoignit Aouda dans la salle à manger et s'assit en face d'elle. Il garda le silence quelques minutes puis dit :

— Madame, quand j'ai eu l'idée de vous emmener loin de cette terre devenue dangereuse pour vous, j'étais un homme riche et je pensais pouvoir vous offrir une existence libre et heureuse. Maintenant, je suis ruiné, mais permettez-moi d'utiliser le peu qui me reste en votre faveur.

— Je ne peux accepter. Qu'adviendra-t-il de vous ? Je suis sûre que vos amis...

— Je n'ai pas d'amis.

— La solitude est une chose très triste, dit Aouda en le regardant intensément. La misère peut être supportable si l'on n'est pas seul.

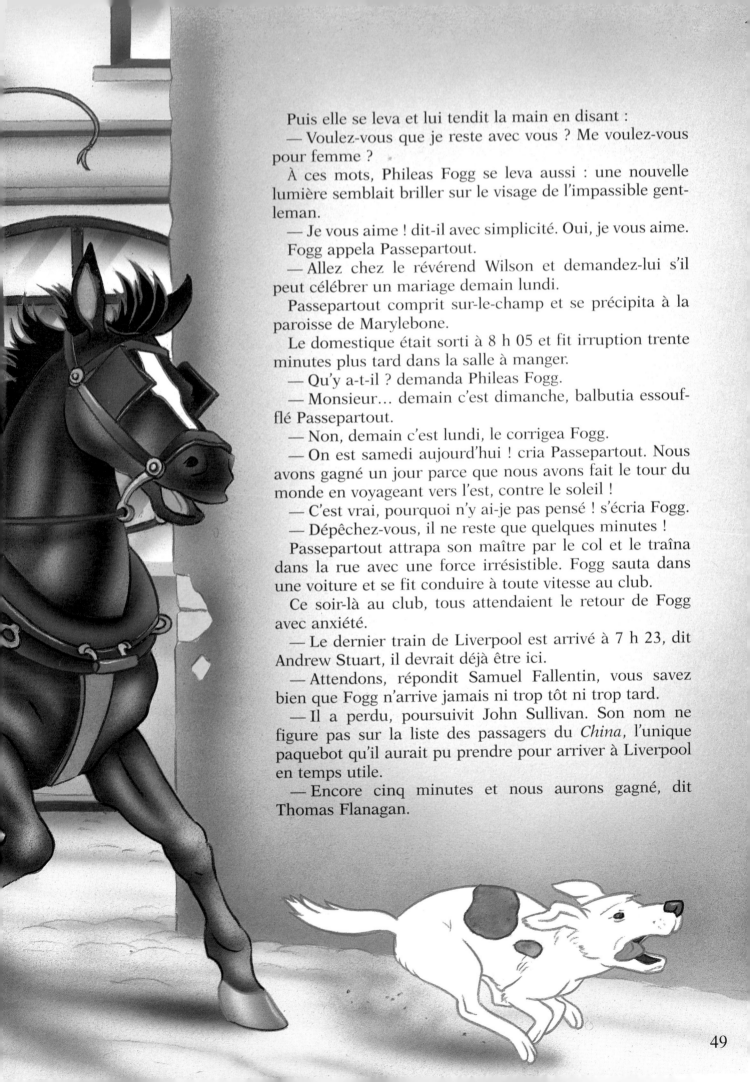

Puis elle se leva et lui tendit la main en disant :

— Voulez-vous que je reste avec vous ? Me voulez-vous pour femme ?

À ces mots, Phileas Fogg se leva aussi : une nouvelle lumière semblait briller sur le visage de l'impassible gentleman.

— Je vous aime ! dit-il avec simplicité. Oui, je vous aime.

Fogg appela Passepartout.

— Allez chez le révérend Wilson et demandez-lui s'il peut célébrer un mariage demain lundi.

Passepartout comprit sur-le-champ et se précipita à la paroisse de Marylebone.

Le domestique était sorti à 8 h 05 et fit irruption trente minutes plus tard dans la salle à manger.

— Qu'y a-t-il ? demanda Phileas Fogg.

— Monsieur… demain c'est dimanche, balbutia essoufflé Passepartout.

— Non, demain c'est lundi, le corrigea Fogg.

— On est samedi aujourd'hui ! cria Passepartout. Nous avons gagné un jour parce que nous avons fait le tour du monde en voyageant vers l'est, contre le soleil !

— C'est vrai, pourquoi n'y ai-je pas pensé ! s'écria Fogg.

— Dépêchez-vous, il ne reste que quelques minutes !

Passepartout attrapa son maître par le col et le traîna dans la rue avec une force irrésistible. Fogg sauta dans une voiture et se fit conduire à toute vitesse au club.

Ce soir-là au club, tous attendaient le retour de Fogg avec anxiété.

— Le dernier train de Liverpool est arrivé à 7 h 23, dit Andrew Stuart, il devrait déjà être ici.

— Attendons, répondit Samuel Fallentin, vous savez bien que Fogg n'arrive jamais ni trop tôt ni trop tard.

— Il a perdu, poursuivit John Sullivan. Son nom ne figure pas sur la liste des passagers du *China*, l'unique paquebot qu'il aurait pu prendre pour arriver à Liverpool en temps utile.

— Encore cinq minutes et nous aurons gagné, dit Thomas Flanagan.

Les cinq membres cessèrent de jouer et posèrent leurs cartes sur la table.

— Huit heures quarante-quatre ! s'exclama John Sullivan sur un ton qui trahissait une émotion involontaire.

La pendule du salon était sur le point de sonner neuf heures moins le quart quand la porte s'ouvrit et que Phileas Fogg apparut.

— Me voici, messieurs, dit-il avec son calme habituel.

Phileas Fogg avait gagné son pari !